C000022471

EDITORIAL PRESENÇA

R. Augusto Gil 35-A · Apartado 14031
1064-806 LISBOA
Tel. 21 799 22 00   Fax 21 797 75 60
Email: info@editpresenca.pt
Internet: http://www.editpresenca.pt/

No Reino do Sonho

NATÁLIA BEBIANO

No Reino
do Sonho

EDITORIAL PRESENÇA

FICHA TÉCNICA

Título: *No Reino do Sonho*
Autora: *Natália Bebiano*
Copyright © by Editorial Presença, Lisboa, 2000
Capa: *Inês Botelho*
Ilustrações: *Inês Botelho*
Pré-impressão: *Textype — Artes Gráficas, Lda.*
Impressão e acabamento: *Guide — Artes Gráficas, Lda.*
1.ª edição, Lisboa, Junho, 2000
Depósito legal n.º 151 747/00

*A ideia deste livro surgiu numa visita
ao primeiro Jardim Escola João de Deus de Coimbra,
por ocasião da sua Feira do Livro de 1998.
É um tributo à Escola onde aprendi as primeiras letras
e a que devo muito daquilo que sou.*

*A meus filhos: João Nuno,
Rui André e Joana Catarina.
A meus sobrinhos*

O CIBERLIVRO

A mãe de Arabela ofereceu-lhe um *ciberlivro*, um livro escrito com tinta electrónica e com um cartão de memória na lombada. Era um livro do *Futuro*, um livro que se ligava directamente à cabeceira dos sonhos, um livro onde era possível navegar em sonhos.

O livro era um pouco estranho
e um pouco era pouco
para quantificar toda a sua estranheza.

Antes do começo, antes mesmo do título, tinha os seguintes dizeres:

Num bom poema o número das palavras é limitado, mas as ideias sugeridas são incontáveis.

O livro era de verdade e sem sombra de exagero muito esquisito. Primeiro, porque era um livro mutante, um livro regravável em que o leitor podia participar modificando-o com o pensamento
só com o pensamento.

Segundo, porque, além de letras
que ora apareciam ora desapareciam
e de imagens
ora brancas ora de todas as cores
tinha vazios.

Os vazios eram espaços onde era possível ver para além do visível
e por isso os vazios não eram vazios
mas espaços onde o olhar não bastava para ver.

Era um livro, onde as sombras revelavam mundos ao sabor da imaginação.

O livro com vazios que não eram vazios chamava-se *No Reino do Sonho* e as suas figuras eram figuras da Fantasia.

O livro era um livro onde *viviam* as personagens das histórias, das histórias destes e de outros tempos, as histórias já contadas e as apenas sonhadas
histórias adormecidas que a leitura tinha o condão de despertar.

A paixão de Arabela eram os livros. E dentro dos livros, os livros de histórias, livros em que levitava, em que ficava suspensa e, esquecida de si, voava para outras vidas e lugares.

As palavras tinham o poder de encantar, de a levar por clareiras e vales, florestas e nuvens. Os seus desejos e quimeras soltavam-se no fôlego de certas palavras, da música e do odor que desprendiam. Quando tocava certas palavras, tocava *o outro lado* do mundo...

Olhei o livro com cartão de memória na lombada. Que se passaria dentro daquele livro fechado? Um livro fechado era um enigma e uma fascinação.

Teclei o cartão da memória. Senti o coração bater forte, um calafrio, um apelo irrecusável. Eu era chamada a participar num segredo!...

Aquele livro aberto era um chamamento, um chamamento de luz.

Quem iria eu encontrar dentro daquelas linhas a preto e branco, daqueles espaços vazios que alastravam em saltos irrequietos?

Aquelas letras que apareciam e desapareciam, aqueles vazios que não eram propriamente vazios, eram por demais intrigantes.

Seria avaria do *disco*? Insensibilidade do *rato*? Manigância informática de algum *hacker*?

Pensei substituir a leitura no ecrã pela leitura no papel. Talvez a versão escrita resolvesse aqueles enigmas. Preferia mil vezes *um livro de ler* a um ciberlivro em versão electrónica.

Fiz uma versão escrita em papel reciclado, ordenei as folhas e encapei-as com cartolina amarela. Naquela lombada fina, escondia-se um labirinto de caminhos inesperados, um labirinto povoado de vozes surpreendentes...

Folheei o livrinho, senti o cheiro fresco da tinta, o gosto forte das palavras

o gosto dos enredos, dos lugares.

Colunas cinzentas com alfabetos invulgares alternavam com pequenas janelas por onde espreitavam mutantes, *cyborgs*, monstros com olhos de insecto. No fundo das janelas viam-se casas com emaranhados de fios a pender das janelas.

Era um belo livro com janelas dentro das janelas...

E o desenho que eu desenhara essa manhã estava lá!

Era fantástico: a nuvem gorda que a minha mão desenhara, o arbusto de espinhos, o brinco-de-princesa vermelho de sete saias, o coelho perdido entre cavalos marinhos...

Aninhei-me entre os cobertores, ajeitei a almofada, desliguei a televisão. Algumas gotas cintilantes, como bolas de sabão, começaram a sobrevoar o meu desenho. Inúmeras gotas surgiram e tomaram a forma de besouros, grandes e pequenos besouros, besouros de mil cores. As cores entrelaçavam-se umas nas outras e, como se imersas na bruma, perdiam nitidez. Num instante juncaram o meu desenho e deram forma a... um dinossauro! Um belo dinossauro.

Como por magia a página do *meu* desenho soltou-se e, perante os meus olhos surpresos, desenhou-se um arco de palavras:

Era uma vez um dinossauro...

Li e reli uma e outra vez a mesma frase. Tentei continuar, mas eram sempre as mesmas palavras que a minha voz pronunciava, a mesmíssima frase. Aquele livro não se deixava ler... Era agora claro que os mistérios do livro se não explicavam por deficiências do *disco* ou do *rato* do meu computador pessoal. Virei a página e a página resistiu e depois, de um instante para o outro, virou-se por si.

Esta é uma viagem só possível a quem não perdeu a infância...

Estremeci. Certifiquei-me de que o ciberlivro estava desligado da cabeceira dos sonhos. Afinal, de onde viria aquela voz? Mas as folhas do livro, virando-se automaticamente sob os meus olhos, não me davam tempo para pensar. E assim avancei sofregamente pelo livro adiante...

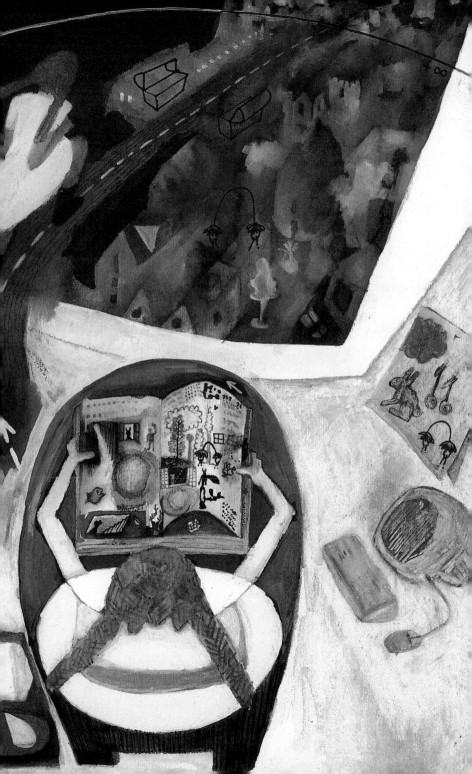

O MOVIMENTO

Aquele capítulo dispensava título. Tinha por tema o movimento e bastava iniciar a sua leitura para se compreender que era impossível parar. A sua leitura obrigava a uma precipitação ofegante por linhas, períodos, parágrafos, páginas, reticências, exclamações...

A sua leitura induzia volteios, saltos irrequietos, numa aceleração crescente sem momentos de pausa. Ideias giratórias, ânsias de ir mais além, contrastavam com a lentidão assombrosa que pairava no interior de mim própria. Maravilhada, vislumbrei uma aparência de repouso naquele movimento rápido.

E tudo em redor entrava nessa forma de pausa demoradamente breve.

Ao ler aquelas linhas, períodos, páginas, reticências, exclamações, eu calçava botas de sete léguas, dava grandes passadas pelos ares e galgava para além do quarto, da cidade, do desalinho das ruas e ruelas, esquinas e becos.

Soltava-me em voos silenciosos até tocar o fio do infinito.

O FIO DO INFINITO.

O céu embaciado surgia pintado com notas musicais e arcas do saber. Arcas onde, noite após noite, a natureza das coisas e os segredos escondidos se revelavam.

O meu corpo, agora transparente, diferente daquele que se vê ou se sente, rodopiava. E eu era coisa invisível, branca com todas as cores. Eu girava num giroscópio, num movimento tão veloz que sugeria repouso.

… E assim, por entre solavancos impossíveis de contar, entrei no desenho que eu própria desenhara essa manhã. Resvalei pelo brinco-de-princesa de sete saias, pelas sete saias do brinco…

Agora alguém soprava a minha nuca, alguém que aparecia e desaparecia; alguém me segredava sons numa língua estranha, frases perfeitas, claras e luminosas, mas num idioma desconhecido.

As pétalas do brinco e de todas as flores escureciam e eu, numa pressa de falar, mas sem nada chegar a dizer, ficava sem conhecer o saber das arcas do saber desenhadas no céu, no céu pintado com notas musicais.

E a busca dessa voz clara e luminosa levava-me pelas linhas adiante, pelas clareiras do livro, até ao fio do infinito.

Era um livro com um chamamento de luz e uma Voz. A certo passo, a Voz sussurrou:

— Uma linha em branco não é uma linha em branco. Esta linha em branco, esta sob os teus olhos, é um dinossauro branco numa planície de neve branquíssima. Aquela linha mais além é uma esfinge das águas, uma enorme baleia branca.

— Talvez um fantasma de dinossauro ou um fantasma de baleia branca — murmurei.

— O que está sob os nossos olhos é o mais difícil de ver. Para além disso, a brancura cega.

— Um dinossauro branco numa paisagem gelada… — cismei. Uma baleia branca…

E a Voz soletrou:

Suchomimus, um dinossauro. Moby Dick, uma baleia...
Fechei o livrinho, o livrinho de ler, e ouvi umas risadinhas secas. Um risinho cantante... Os risos pareciam vir de dentro das páginas do meio, umas páginas muito coloridas com avestruzes gigantescas e tartarugas de carapaças com a forma de antena parabólica. Olhei de relance o ciberlivro com memória na lombada pousado sobre a almofada dos sonhos, e eis senão quando uma voz muito débil e abafada, vinda do fundo das linhas, se fez ouvir:

— Arabela!

Este livro tem mesmo voz, voz autêntica, pensei. E a Voz soou com um tom musical:

— Os livros têm voz. Será que nunca antes escutaste essas vozes?

Nunca. Nunca de forma tão clara...

— Tu podes entrar neste livro, entrar nas histórias deste livro. Basta quereres...

Estaria eu a sonhar? A quem pertenceria aquela voz?

— Queres saber quem eu sou? Para isso, tens que avançar na leitura... Não queres embarcar na «Missão Intergaláctica»? É o próximo capítulo...

Bem, este livro é um livro interactivo, disse comigo.

— E eu posso participar nas histórias? — perguntei.

— Claro! Começas por viajar na nave do capitão Spiff com a sua tripulação de robôs.

— E tu, quem és tu?

— Não queiras desvendar tudo de uma só vez. O conhecimento conquista-se devagar. Prometo-te que voltaremos a encontrar-nos!

— Já sei! És a voz daquela estrela que pode entrar nos sonhos das crianças! A Estrela do Principezinho.

A Voz não respondeu. Passado um segundo, disse:

— Vem! O capitão Spiff está à tua espera. Não deves perder esta nave. Ela só pára uma vez em cada estação.

— Mas é uma viagem num livro, no ciberespaço ou uma viagem no espaço real?

— Talvez todas… Talvez nenhuma — Volveu a Voz enigmaticamente, soltando uma risadinha. Uma risadinha cantante…

MISSÃO INTERGALÁCTICA

20 de Novembro de 3029.

Partimos numa missão intergaláctica. Eu, Arabela, o capitão Spiff e o resto da tripulação da aeronave. Abandonámos a rampa de lançamento no planeta Terra, atravessámos a ponte do Arco-Íris no bordo do céu e mergulhámos na vastidão do espaço.

Enquanto nos afastávamos, o capitão Spiff ordenou-me que ficasse quieta e eu, sem pestanejar, deixei-me ir, fitando o seu baloiçar na atmosfera sem gravidade.

— Deixa de pensar em ti, faz de conta que não estás — disse ele, torcendo o corpo para um lado e empinando o nariz para o outro.

E assim me descobri no Futuro, num *Futuro* com que jamais sonhara.

Alheada de mim, bem como de todos os sujeitos esquisitos que me rodeavam, concentrei-me na ideia de deixar de pensar em mim.

Pergunto-me mil coisas, não respondo, não sei, nada sei, habito num cenário de botões e teclas, sem casas, nem árvores, desconheço todos e a mim ainda mais. Resta-me olhar os céus...

Os céus eram belos, mares sem fundo, azuis, de um azul entre o azul e o cinza, e as nuvens como macieiras de prata com flores brancas. Eu contava as estrelas que às vezes me pareciam bancos de coral e ouvia a sua música, uma música suave que me embalava e fazia sonhar. No horizonte, nasciam estrelas-novas, tão deslumbrantes que me não atrevo a contar. E havia uma tal harmonia naquela imensidão que me comovi com tanta beleza.

Quase sem nos darmos conta, entrámos numa barreira de asteróides. Em atitudes que nunca foram minhas, feições fingidamente sérias nas minhas feições alegres, perguntei-me:

— E agora?

Ninguém me respondeu, ou antes, como resposta ouvi um indescritível estrondo.

Caímos numa noite escura e nublada. Havíamos chocado com um dos asteróides, talvez o mais gigantesco e ameaçador, e o choque fora tremendo.

Só a orientação pelo horizonte artificial nos poderia valer. Eu sabia que, naquelas circunstâncias, não se podia acreditar nas sensações, mas unicamente nos instrumentos de precisão. O nosso equilíbrio corporal entrara em colapso. O desequilíbrio era causado pela aceleração e ausência de pontos visuais de referência.

— Tenta descontrair-te — disse o capitão monocordicamente.

E eu nada disse, suspensa naquele estado em que eu deixei de ser *eu*.

Spiff, indiferente às minhas emoções, agia sem mudar de expressão, baixando e elevando a alavanca de comando de altitude. O impacto da colisão rebentara-nos os sensores *laser* e o piloto automático, pelo que havia que suprir manualmente todas essas funções.

Senti vertigens e uma total impossibilidade de perceber onde me encontrava, sequer onde estava o chão. Incapaz de me manter de pé, andando às arrecuas, sentei-me e amarrei o cinto. Percebi pelas vibrações dos sensores que perdíamos altura. Que poderia eu fazer para controlar e vencer aquela situação de perigo? Apenas evitar o pânico... Entrando num ritmo de descida tão rápido, não tardaríamos a desaparecer de todos os ecrãs de radar.

Era o próprio capitão que pilotava a nave, enquanto eu diminuía a potência dos motores e fazia medições de rotina. Em atitudes que nunca foram minhas...

Os tripulantes, afectados com problemas nos centros de orientação no labirinto auditivo, recolheram à enfermaria. No *cockpit* restava eu e o capitão.

Por um minuto tomámos a direcção sueste, ganhámos altitude e a turbulência diminuiu. Passámos finalmente a cordilheira de asteróides. O meu coração deixou de bater com tanta força e esforcei-me por voltar a ser eu.

Decidimos parar em Plutão, porque era urgente fazer algumas reparações na nave. Os planos da viagem eram, assim, completamente alterados.

Foi um verdadeiro imbróglio atinar com todos aqueles maquinismos. Mas, graças à perícia dos nossos engenheiros espaciais, conseguimos resolver os problemas, pelo menos os mais urgentes.

De seguida, logo de seguida, voltámos ao espaço. E reatámos os contactos com um radar em *Silicon Valley*.

Vinda da Terra recebemos uma mensagem que era uma ordem:

Recuperar a *Voyager I*, reparar, reparar...

Três dias passados, o nosso radar ainda não alcançara a localização do satélite. Quando já começávamos a descrer das nossas capacidades, por sorte, apenas por sorte, um dos nossos tripulantes descortinou as coordenadas da *Voyager*. Porém, havia de novo um *porém*...

O radar indicava-a a noroeste, mas, de facto, ela encontrava-se a sul. O asteróide não danificara só o canhão *laser* e o piloto automático. Pior do que isso, afectara os nossos centros das redes neuronais, pelo que toda a navegação deveria processar-se com base na orientação pelo horizonte artificial. O que tornava a missão infinitamente espinhosa...

Vencidos incontáveis obstáculos, alcançámos a *Voyager*. Destruímos as partes que não continham informação, como os painéis solares e a antena. Recolhemos todos os registos com a garra mecânica, analisámo-los minuciosamente e, estupefactos, verificámos que tudo aquilo já tinha sido investigado por *outros*.

Extraterrestres, murmurei gelada de excitação, deparando com um mapa que *eles* tinham deixado nos circuitos da *Voyager*.

Extraterrestres, ecoou por todo o universo...

Partimos imediatamente em busca do planeta desses seres desconhecidos.

Ao longe, o cometa Hale-Boop surgiu com a sua belíssima cabeleira. Contemplei o seu rasto de gelo, gases e partículas luminosas e, perante tamanha beleza, senti uma enorme comoção. Era como um sonho, o mais estranho desde sempre sonhado, uma história longa que começava no fim, voltava ao começo e parecia não ter fim...

O CANTO DA FLORESTA

Passado o satélite Caronte de Plutão e as órbitas de 88 corpos transneptunianos, coisas muitos misteriosas aconteceram. Senti-me atraída pelo brilho incolor de uma cadeia de esferas ocas que errava pelos céus e fazia lembrar favos de mel, doirados e transparentes. Essa atracção era quase imperceptível e só tarde de mais dela me vim a dar conta.

Depois não sei verdadeiramente o que aconteceu. Caí numa espécie de vazio, um vazio branco…

A certo momento despertei

suavemente

muito suavemente…

… Escutei no silêncio um marulhar de árvores, não de mar, mas um titilar de folhas e ervas sacudidas pela brisa. Um mar de folhas com vagas musicais marulhava infinitamente longe e a melodia da folhagem, entremeada com cantos de pássaros, era encantadora. Era o rumor longínquo de uma floresta, pensei. Trémula, ouvi essa melodia, esse canto belíssimo que falava de…

… Afinal de que falava esse canto?

De um vazio branco.

UM VAZIO BRANCO…

Para além da orla da floresta, havia um vazio mortal

UM NADA SEM MAIS NADA

um nada absoluto

ABSOLUTO.

Ninguém deveria passar além da orla da floresta, ninguém.

Quem tal ousasse, sujeitava-se a perigos e maldições, aos castigos funestíssimos das divindades malévolas da floresta.

Era isto que dizia o canto da floresta num sussurro de indescritível beleza, num lamento que mal ia além da surdina para depois se perder no silêncio total.

Mas o canto da floresta podia ser um logro...

Senti com intensidade que gostava de desafiar os perigos. De enfrentar os meus medos, os meus limites, de dar-lhes luta... (Ah! De verdade, como eu tremia, os dedos gelados, o suor na testa, o coração a bater, tão-tão, tão-tão...)

Decidi seguir em frente indiferente ao apelo daquele canto.

Caminhei. O poema da floresta encantava-me, fazia-me sentir como se *a floresta* fosse a minha terra-mãe, o meu berço, o meu ninho. Se aquele canto cessasse, a minha vida seria impossível, porque eu fora gerada naquele embalo.

Ai de quem deixasse de escutar aquele afago criador, aquele sopro vital... Aquele suave pulsar batia o ritmo do meu pulsar e era o pulsar do coração do mundo. (Pareceu-me escutar uma lengalenga que dizia isto mesmo e quero dizê-la mas não sei afinal como dizê-la.)

Sim, escutei, escutei no fundo de mim.

Ao atravessar o imenso arvoredo, senti o casquinar distante das águas de um rio. Evitei os fetos luxuriantes que me tolhiam a marcha, a ramaria, o emaranhado de troncos, icei-me das lianas gigantescas em grandes saltos e, por instantes (e por mais estranho que soe), quase voei.

(Voei. Foi um voo súbito e instantâneo, difícil de captar e de descrever, mas um voo.)

Abeirei-me, finalmente, da margem cintilante da corrente e contemplei a luz do Sol sobre as águas, águas de prata. Vi os elefantes que ali se banhavam na corrente, os búfalos que brincavam nas margens, vi, vi.

Ocorreu-me a gravura de um livro
que em tempos lera
há muito tempo
tanto tempo
eram as suas cores, os seus traços com movimento, as suas sombras desbotadas...

Bebi aquela luz com embriaguez. Tudo me parecia um sonho, uma realidade feita de fantasia, uma fantasia demasiado real. Eu precipitara-me naquele vazio branco como? Como me precipitara?

ah! como? afundara-me num livro...

num livro!...

Estava decidida a seguir em frente?

Já não dependia de mim. Algo me atraía, algo de muito forte, e eu ia...

Enfrentaria vitoriosamente os mais inimagináveis perigos, desafiaria todos os obstáculos, mesmo os próprios deuses da floresta, os deuses malévolos da floresta.

Porém, o meu entusiasmo nem sempre era o mesmo. Por vezes, o canto da floresta lembrava-me uma praga horripilante murmurada por divindades funestas, uma maldição que me gelava a alma de terror. Por alguns instantes, aquele canto era um canto terrível, na forma e no tom, com grasnadas de abutre e uivos de dor. De tempos a tempos, o canto soava como o rufar de tambores de guerra, ou com o estrondo de um furacão. Por isso, eu oscilava entre o pavor mortal e o ardor de ir mais além.

«Jamais ninguém logrou descobrir o sentido do canto da floresta», julguei escutar.

Levei instintivamente as mãos aos ouvidos e olhei o céu. A luz fulgiu sob os meus olhos e eu senti, senti como jamais sentira, temor e ânsia de aventura.

De súbito, tudo desapareceu no horizonte. Como num eclipse total. E eu mergulhei numa realidade de sombras.

SENTADA NA BEIRA DO MUNDO

Achei-me depois sozinha numa clareira de fumarolas e nascentes de água a ferver. No bordo da clareira, havia dentes de javali, garras de tigre e, mais longe, uma margem repleta de crocodilos.

Por toda a parte brotavam repuxos faiscantes e a toda à roda havia uma floresta de árvores de rara beleza.

Mas as árvores eram muito esquisitas, cresciam, não de baixo para cima como era vulgar, mas de cima para baixo.

Como era possível?

árvores cresciam de cima para baixo, com as raízes soltas no ar, cabeleiras despenteadas de raízes!

Ou teria sido eu que assumira uma posição invertida?

No remate do horizonte viam-se montanhas em arco, revestidas de neve alvíssima e gelo resplandecente. Também as montanhas eram estranhas, pois, à luz do Sol, as elevações lembravam crateras profundas em vez de montanhas que se elevavam em picos.

À minha volta havia flores transparentes, girassóis com pétalas de vitral, violetas luminosas, campainhas grandes como sinos de catedrais, papoilas com estames farfalhudos como borlas, rosas com todas as cores do arco-íris. Havia arbustos coloridos com flores intermitentes em forma de estrelinhas, trepadeiras com pontinhos brilhantes, urze fosforescente, relva com reflexos multicores...

Como fora eu ali parar? Que lugar era aquele, um lugar que lembrava um filme em ambiente 3D? Um filme em ecrã de 180 graus que me envolvia e me punha em cena...

Ao anoitecer, atingi um súbito *final*. A floresta cessava e eu, agarrada às raízes das últimas árvores, estava suspensa sobre uma escarpa íngreme. O chão acabava sobre montes alcantilados e precipícios e evaporava-se em sombras e névoas.

— Arabela, estás prestes a chegar ao Reino do Sonho — escutei. — Se o alcançares, será a tua glória e o teu mistério!

Estremeci ao pressentir que algo de extraordinário estava prestes a acontecer. Então o canto da floresta soou vibrante:

— Não ouses ir além da orla da floresta, não abandones a terra–mãe...

Olhei em frente e pareceu-me que a meus pés havia uma brecha
uma brecha descomunal.

Com espanto vi que, naquele ponto, o mundo parecia cindir-se e que um dos seus pedaços, um dos estilhaços do mundo, se precipitava no *vazio*.

Sentei-me na beira do mundo, debruçada sobre o *nada*.

E assim fiquei sentada na beira do mundo
à espera.

(Que esperava eu sentada na beira do mundo?)

Das profundezas vinha como que um grito abafado, um grito que me soava como um desafio irrecusável.

Vibrei de ansiedade.

Entre apavorada e excitada de delícia, dei um passo em frente. Em falso, no espaço. Um passo em frente num desafio aos deuses lúgubres e a todos os perigos.

Subitamente, do outro lado da garganta do mundo, rompeu uma luz.

Que estaria para o lado de lá?

Que existiria para além daquele espaço onde começava a raiar uma belíssima luz?

Então três mulheres velhas que viam o mundo através de um só olho de vidro, surgiram de lá e gritaram:

— Os humanos são uma ameaça à floresta, ao mundo e a todo o nosso Reino. Só te deixaremos passar esta horrenda garganta, Arabela, se nos deres uma boa razão para acreditarmos neles.

Respondi com um grito que me vinha do coração e da cabeça:

— Eles são os Homens, os seres mais inteligentes do Universo.

As três velhas ajeitaram o olho de vidro por onde viam o mundo e bradaram:

— Inteligentes? Fazem brutalidades, guerras...

Pensei instantaneamente nos grandes inventos e conquistas da Humanidade. Na arte, nos jogos, nas telecomunicações, computadores, internet, viagens intergalácticas...

— Conhecemos isso... — clamaram as velhas, adivinhando-me os pensamentos. — As crianças passam os dias a matar gangsters no mundo virtual, a sujar as mãos de sangue... Uma loucura.

— A música, a dimensão fractal, a poesia — gritei ardorosamente com gritos que me vinham da cabeça.

— Ah, ah, ah... Os mestres da palavra e a sua arte de bulir com a alma.

— Nos sonhos dos poetas existe uma beleza, um encanto impossível de encontrar na realidade... — gritei rijo com quantas forças tinha com gritos que já só me vinham do coração.

Nesse instante, o fundo do Nada tornou-se azulado e sobre esse fundo recém-azul desenhou-se uma vaga de espuma.

As velhas que viam o mundo por um olho de vidro sumiram-se e o olho de vidro ficou reduzido a um ponto no ar. Uma vaga baloiçante correu sobre aquele fundo azul que era cada vez mais azul e eu soltei uma gargalhada de júbilo.

Uma vaga e outra vaga, sempre uma e mais outra, numa dança incansável. Vagas com belos recortes de espuma e chispas de luz.

— O mar! — gritei numa felicidade incontida.

E deixei-me escorregar pelo precipício em direcção à luz.

Sentia-me livre, à beira de galgar as fronteiras interditas, e a minha alma vibrava. Nunca me sentira tão livre e tão leve...

A TERRA-DE-NINGUÉM

Vagueei sozinha pela praia sempre pela aresta das águas. A praia era negra com seixos negros na orla das águas e as águas sombreadas de escuro. Penhascos negros erguiam-se a pique na berma do areal e a forma escura dos penhascos pairava como uma sombra ameaçadora cheia de brilhos enigmáticos.

Na praia não havia ninguém, nem eu própria esquecida de mim.

Não havia barcos, nem gaivotas ou andorinhas do mar. Apenas uma suave maresia e um nevoeiro cada vez mais cerrado.

Cansada da solidão do mar e daquele ermo tingido por uma luz negra, enveredei por uma estrada de terra batida que seguia através do nevoeiro. A maresia tinha um perfume inebriante e nalguns momentos a luz doirava o nevoeiro com reflexos de pérola.

Levada por uma força que me tornava leve, leve como uma pluma
ou uma aragem
ou um perfume de flor
caminhei suspensa na névoa, como se levitasse.

Com assombro vi que, entretanto, chegara à beira de uma enorme cratera
uma cratera negra
como um abismo profundo.

Um gigante de três metros com fraque e chapéu alto de pedra passou sobre o abismo montado num triciclo de pedra, com rodas e correntes de pedra que faziam um ruído ensurdecedor. Então um dinossauro voador, gigantesco, cruzou os ares à velocidade da luz e mergulhou no abismo de pedra com o capitão Spiff, a aeronave e toda a tripulação.

— Vejam só isto!... — murmurei no maior desconsolo.

Mas nada soou do que eu disse, nada se escutou e sentei-me no chão no maior desalento. Um vento gelado imobilizava-me, agitava-me o vestido branco e espalhava no meu belo cabelo cor de cobre fios de gelo.

Na cratera pairavam pedaços soltos de neve de formas bizarras, estrelas geladas grandes como icebergues. O eco de um grito metálico, um grunhido de dor, veio das profundezas do abismo. E o terror tolheu-me por completo os movimentos.

— Arabela, chegaste à TERRA-DE-NINGUÉM.

Não sei de facto como ali cheguei, mas o que era facto é que eu estava na Terra-de-Ninguém. Um grande ecrã suspenso sobre a minha cabeça tolhia-me o passo e anunciava em letras intermitentes que ninguém podia permanecer em Terra-de-Ninguém.

NINGUÉM PODE PERMANECER EM TERRA-DE-NINGUÉM

O aviso no grande ecrã alternava com a passagem de sombras, sombras de esqueletos, de morcegos, de figuras demoníacas, sombras invulgares, invertidas, como se rastos de sombras deixadas num mata-borrão.

A sombra mais invulgar era a de um centauro, uma figura esquisita metade homem e metade cavalo, homem da cintura para cima e cavalo da cintura para baixo. A sombra do centauro era invertida como as demais e logo seguida pela de outro centauro, este porventura ainda mais esquisito, porque cavalo da cintura para cima e homem desta baixo.

Dirigi-me vagarosamente

tanto quanto a minha realidade, um misto de pedra e sonho, me permitia

para a portagem da Terra-de-Ninguém.

A fronteira era num ponto enfeitiçado, onde mergulhavam as sombras e se esfumavam em brumas.

Vi com espanto a sombra de Spiff passar no ecrã, cabeça para os pés, pés enfiados num chapéu pontiagudo.

— Spiff! — gritei.

Mas o meu grito não produziu qualquer som e Spiff desapareceu sem deixar rasto. Depois as sombras tornaram-se estáticas, enquanto uma sarça ardia em grandes labaredas sem se consumir porque as chamas eram mais gélidas que gelo.

Uma vozearia infernal estrondeou e o ecrã deixou de estar lá. Pura e simplesmente deixou de estar lá.

Um rosnar metálico, um grunhido tremendo ecoou, repetiu-se com maior nitidez e mais estridente que todos os demais ruídos. Antes que eu tivesse tempo de pensar a quem pertencia aquele uivar indescritivelmente medonho, um lobisomem de pele sarnenta, língua de fora da goela, apareceu vindo das sombras com um ar extraordinariamente ameaçador.

Um lobisomem, não em sombra mas em figura real, surgiu à minha frente vestindo uma farda cinzenta e eu olhei-o nos olhos ameaçadores com o meu olhar de pedra e sonho...

E no primeiro instante nada aconteceu incrivelmente nada.

O lobisomem perguntou-me se eu tinha créditos galácticos para passar a fronteira, eu respondi-lhe em silêncio com o meu espanto. E ele entre pavorosos grunhidos disse-me que assim me não poderia deixar passar. Mas proibia-me também de ficar, porque ali era Terra-de-Ninguém.

Não podia seguir, não podia ficar...

Logo depois, da cratera do abismo saíram alquimistas, criaturas satânicas, bruxas, feiticeiros, vírus de computador, priões, gasganetes, burocratas e todo um batalhão de génios do mal. Ao ver aqueles seres dos abismos que me cercavam num cerco cada vez mais apertado, senti-me espectadora e figurante de um drama absurdo.

De repente percebi que não só aquela terra me era proibida como eu não poderia aspirar a qualquer outra. Faltavam-me documentos, vistos, passaportes, carimbos, selos, infinitos papéis cheios de coisas inúteis mas a que era dada enorme importância (vá lá saber-se porquê).

Os génios do mal que cercavam a fronteira da Terra--de-Ninguém eram terríveis, mais terríveis e sinistros do que pode contar-se ou imaginar-se, soltavam risadas malignas, desapareciam e logo ressurgiam como se se recriassem do *nada* a cada instante. Eram sombrios, eram trevas, eram sem luz, crescendo ameaçadoramente em redor, invadindo todo o espaço com os seus imensos tentáculos e as suas sombras, sombras onde não havia padrões, ordem, formas abstractas mas caos, desordem, sem sentido.

— Arabela! — ululou uma vozinha esquisita vinda das sombras, uma vozinha que soava como uma onda de impulsos ou pulsações.

UM SER VIRTUAL

— Quem és tu agora? — resmunguei, perdida naquela absurda realidade.

— Sou um ser virtual.

— Um ser virtual?

— Sou o Vírus Sexta-Feira-Treze.

— O quê, o que ataca os computadores?

— Esse mesmo — pulsou a vozinha.

— Um vírus de computador só vive no computador — repliquei enfadada.

— Ora esta! Estás dentro de um grande maquinismo, pertences a um grande maquinismo.

— Pertenço a um grande maquinismo?

Comecei a ouvir aquela vozinha de impulsos com maior atenção. A vozinha continuava a sua lengalenga:

— Eu sou do Reino do Sonho, onde estão todos os mundos virtuais. Todos os seres dos sonhos, todos os seres do imaginário, dos jogos de computador, das lendas encantadas, todos os heróis das histórias vivem no Reino do Sonho. Mas os do Reino do Sonho rejeitam as tecnologias, pois crêem que estas são uma ameaça. *Eles* expulsam para uma parte do Reino as *ficções tecnológicas*, o chamado Reino dos Espectros ou do não--Sonho.

Eles, quem seriam? Apressei-me a perguntar:

— A minha nave também?

— Também a tua nave.

— E o que é que fazem no Reino-do-não-Sonho as *ficções tecnológicas*?

— Temos as nossas artes. Eu, como deves lembrar, ataco os circuitos informáticos às *sextas-feiras-treze*. Há quem se entretenha a contar os grãos de areia do deserto. Eu aborreço os homens, mostrando-lhes que eles não controlam devidamente os seus maquinismos.

— Brr...

— No Reino do Sonho jogam-se jogos de sombras, jogos de letras ou números ou outros símbolos, por exemplo, formas geométricas. Por vezes, descobrem-se combinações espantosas, poemas ou teoremas tão belos que através deles se alcança o êxtase. São jogos apaixonantes. Infindáveis. Não queres experimentar?

— Não.

— Não?!...

— Esses jogos são uma tentação e podem comprometer o meu regresso. O que eu quero agora é procurar o meu caminho de volta, só que não sei por onde começar. Preciso de documentos, vistos, carimbos, selos...

— Recordo-te, jamais o esqueças, pertences a um grande maquinismo. O mundo é um grande maquinismo e os homens, nesse maquinismo, dependem uns dos outros.

Se conseguires encontrar Spiff, o que com franqueza duvido, tens que desalojar o *Vírus de Jerusalém* que se instalou nos circuitos da vossa aeronave. E abalar...

Neste ponto, senti o chão a ondular debaixo dos pés. Nas paredes da cratera, as lajes eram sacudidas por correntes muito fortes. Moviam-se e estilhaçavam-se em surdina, dando origem a uma infinidade de mosaicos de formas extravagantes. Entre os mosaicos sopravam ventos solares a velocidades espantosas, baralhando as configurações dos ladrilhos e precipitando-os em remoinhos. Os giroscópios executavam manobras bizarras e eu via turbilhões de ventos com ondas cruzadas assolarem o meu derredor. Incapaz de agir, eu nada fazia, limitava--me a olhar, a olhar.

Uma relva, não de erva mas de sondas espaciais e antenas heliosféricas, cresceu subitamente nas juntas entre as lajes. Os espectrómetros de medição por ultravioletas das radiações emitidas, entraram em colapso.

O grande ecrã voltou a descer sobre a minha cabeça advertindo-me ameaçadoramente de que eu pisava Terra--de-Ninguém. Eu *tinha* que abandonar aquele lugar de ninguém. IMEDIATAMENTE.

Olhei à minha roda e vi que não havia saída, qualquer saída. Aquela era uma experiência limite. Não existia no mundo um só lugar ao meu alcance. Todo o mundo me fora proibido, todas as portas fechadas, eu caíra num reduto sem saída.

ERA UMA EXPERIÊNCIA LIMITE.

Tremi como se em presença de campos magnéticos de enorme intensidade. As sombras invertidas, como marcas deixadas em mata-borrão, voltearam e tomaram a orientação normal. E naquele desconchavo de coisas eu receei ter perdido a lucidez.

ALÉM DA TERRA-DE-NINGUÉM

Andei um tempo sem-fim por lugares que se esfumavam por completo da memória mal os passava. Um estrondo, uma explosão, um ranger de pedras com infinitos ecos vieram pôr termo a este episódio de que não resta qualquer outra lembrança para além do que disse.

Os ventos calaram-se e fez-se um silêncio de morte. Não corria uma brisa, uma imensa calmaria envolvia a planície que era como um imenso mar cor de prata.

Eu fora além da Terra-de-Ninguém.

No céu, lá muito no alto, voava um dinossauro de cauda a-dar a-dar. Deslizava através da neblina entre as nuvens, cachos brancos com reflexos de madrepérola. Tinha os olhos cor de esmeralda e, no dorso, uma barbatana verde fosforescente com dentes em serra.

O dinossauro atravessava os ares em movimentos magníficos, volteando, abanando a cauda e provocando remoinhos nos ares, virando-se de costas em viragens rápidas como um relâmpago, fazendo acrobacias e dando vertiginosos saltos mortais.

Era grande o dinossauro malabarista, tão grande que causava espanto, de dimensão incomparável com qualquer gigante antes visto no Reino do Sonho ou em qualquer outro, mais avantajado que o Adamastor, Golias, ou os Gigantes do Vento.

A luz do Sol banhava a colossal criatura, que parecia crescer até ao infinito à medida que se aproximava. Como um tufão, por onde passava ia arrancando árvores e flores que se esfumavam nos ares em espirais turbulentas.

À sua passagem em frente do Sol fez-se uma escuridão impenetrável. Aquele ser desmesuradamente sem medida provocara um eclipse e, se acaso se mantivesse longamente naquela posição, mergulharia em trevas toda a planície.

Com as pernas pesadas como chumbo e a tiritar de frio, escondi-me num ninho de cegonha abandonado no topo de um velho choupo. Dois ovos anichados no fundo do ninho pediram-me que os chocasse pois estavam prestes a nascer. Mal eu os afaguei, duas pequenas cegonhas picaram as cascas e soltaram-se em graciosos voos sobre a minha cabeça. Ao olhar as cegonhas acabadas de dar à luz em graciosos volteios sobre a minha cabeça, ouvi uma voz vinda de muito longe nas alturas:

— Sabes dizer-me os caminhos dos homens?

Mas por que seria que todos decidiam atormentar-me com os desvarios dos humanos?

— Desiste! — bradou outra voz. — Nunca os vais descobrir. São caminhos incompreensíveis, cheios de enigmas…

Ao escutar esta segunda voz, estremeci de alegria. Reconheci aquele timbre metálico e aquela entoação musical. Era nada mais nada menos que a voz do capitão Spiff.

— Spiff!…

Instintivamente, olhei para o ar e vi que o capitão Spiff ia montado no possante animal com toda a tripulação da nave. Para maior espanto, a aeronave seguia

enlaçada pelos membros dianteiros do dinossauro, arma-
dos numa espécie de bolsa marsupial de canguru. Vistos
daquele ponto, todos eles pareciam extraordinariamente
minúsculos, pontinhos quase insignificantes na serra dor-
sal do dinossauro.

Para onde iriam, perguntei-me, para onde.

Só então reparei que, à minha roda, havia uma cerca
de... estátuas. Entre as estátuas esvoaçavam e rastejavam
figuras de pedra, palhaços e bobos de fatos de pedra às
pintas e às riscas vermelhas, elfos de asas de pedra ver-
melha, morcegos de pedra e relógios de cuco também
de pedra. O meu coração estremeceu, as estátuas eram...
verdadeiramente sedutoras.

Tinham grandes asas de águia, corpo de touro, patas
dianteiras de leão e rosto humano. Tinham um belo rosto
e um olhar enigmático cheio de contradições e encanto,
alegre e triste, fogoso e gélido, próximo e distante. Eram
esfinges, esfinges colossais, esfinges impressionantes. Para
fugir ao seu encantamento eu devia, a todo o custo, evitar aquele olhar pleno de encanto e sedução.

Olhei à distância. Lousas e mais lousas, umas escuras
outras claras, umas demasiadamente grandes outras demasiadamente pequenas, cirandavam entre as esfinges num
bailado invulgar. As lousas encaixavam-se umas nas outras,
formando torres, labirintos, nós, construções geométricas desconhecidas, impossíveis sob o ponto de vista da
lógica comum. De tempos a tempos, as lousas soltavam-
-se, rodopiavam, davam cambalhotas, armavam-se em
rodas soltas pelos ares.

E os palhaços e bobos de fatos de pedra às riscas e
às pintas riam sem parar
horrendos risos de pedra.

Havia rochas em forma de casulo de onde saíam borboletas de pedra, havia outras em favo de mel de onde voavam nuvens de seixos com a forma de pequeninas abelhas, escaravelhos e joaninhas. Uma brisa misteriosa fazia com que aquelas figuras se evaporassem e recriassem a cada instante. Soprava uma brisa pétrea, uma brisa pétrea soprava. O meu vestido ganhava formas de vestido de estátua e os meus cabelos ondulavam em ondas de pedra.

Passei a cerca das esfinges com movimentos que me pareciam ser de pedra. Armada de mil cuidados evitei deter o olhar no olhar das esfinges, um olhar alegre e triste, gélido e fogoso, próximo e distante.

Sentia-me empedernida, com os pés batendo em chape-chape nas lajes do chão por entre uma multiplicidade de ecos. Uns olhos mecânicos haviam substituído os meus e as minhas pálpebras eram de pedra, insensíveis e frias... As variações no fluxo dos ventos faziam com que, por instantes, me sentisse em suave embriaguez na minha realidade pétrea. Como se cavalgasse na cabeleira de um cometa cheio de luzes e cores.

Uma voz interior chamava-me para outro lugar. Dizia-me que havia coisas que tinham de ser vividas e não apenas sonhadas.

NO REINO DO SONHO

Efoi então que vi figuras de fábula, figuras que lembravam as das minhas histórias preferidas.

Cruzei com uma menina que me sugeriu *Alice*, depois vi um gato de botas de tacão alto, talvez o próprio *Gato das Botas*, de seguida *uma rã que queria ser boi* e comia até estourar... Espantada por me ser dado observar todas aquelas histórias vivas, parei para pensar.

Antes de me enredar em cogitações, logo fui arrancada das minhas cismas por uma corrida insólita. Uma lebre disputava uma corrida com uma tartaruga e perdia. A lebre corria, concedendo um avanço inicial à tartaruga, mas sempre que a lebre alcançava um ponto antes alcançado pela tartaruga, esta já ocupava uma posição mais adiante. E assim por diante, sempre e sempre.

Mas havia outros paradoxos.

Um homenzinho subia a um monte com um rochedo às costas e, já no topo, deixava-o rebolar, repetindo tudo de novo uma e uma vez mais. A criatura acenou-me de longe e eu, algo absorta, devolvi automaticamente a saudação. Alguém me segredou que o homenzinho se chamava Sisífo. Por mais que o observasse, não atinei na razão que o levava a tão estranho comportamento... Carregar esforçadamente rochedos do sopé de um monte para o pico para logo os lançar de novo pela encosta abaixo parecia-me um acto tresloucado.

Tentei esquecer a impressão causada por Sisífo e pelo seu labor incompreensível. Uma sombra reluzente pairou a meus pés a uma nesga do chão, surpreendendo-me e barrando-me o passo.

A meus pés brilhava um belo ovo dourado e, nuns penhascos luminosos da berma do caminho, uma galinha cacarejava sem cessar. A galinha punha ovos reluzentes uns atrás de outros e os ovos iluminavam magnificamente as brenhas em redor. Mal eu tentava agarrar um dos ovos ele desfazia-se como uma bola doirada de sabão.

Seria aquela a galinha dos ovos de ouro?

Assim, de espanto em espanto, continuei a minha jornada. Assim, entre muitas perguntas e nenhumas respostas...

KAI

Figuras de sonho passeavam-se pelos caminhos, fadas belíssimas, mouras encantadas, elfos, duendes, gnomos, anõezinhos. E havia ainda outras criaturas mágicas, burros vestindo togas de juiz, galos emproados com chapéus de plumas, mãos soltas desenhando piruetas pelos ares, narizes, pares de orelhas despegadas dos rostos...

— Que coisa — pensava comigo, cada vez mais deslumbrada com aquela realidade.

Como se deslizando na névoa, cheguei à beira de uma lagoa de águas límpidas e cristalinas. Um pássaro trinou um refrão de três notas

um trinado muito melódico e simples

de três notas

e as águas agitaram-se em sucessivos refegos.

Nesse ondeado formou-se um turbilhão e do remoinho das águas um géiser irrompeu. Então a cúpula rebentou numa explosão de espuma, soltando pequenas bolas cintilantes, transparentes, imateriais. Tentei contá-las com receio de que alguma se perdesse nos ares mas não me atrevi, enredada em números astronómicos de milhares e milhões.

Eram pequenas as bolas, umas como formigas outras como pontas de alfinete, tão ínfimas que o jogo da contagem se tornava um verdadeiro quebra-cabeças. Já ia eu num milhão e trezentas e sete mil, quando uma delas, uma pequeníssima bola cintilante que rolava à mercê dos ventos, rebolou até junto de mim. Flecti os joelhos e baixei-me tanto quanto me era possível.

— Olá! Sou Kai, o inventor da Grande Linguagem. Não uma linguagem universal, mas a linguagem universal que todos entendem e falam no Reino do Sonho.

Estremeci. Aquela bola quase sem substância falava e, ainda mais extraordinário, falava a minha língua. Debrucei-me inteiramente sobre o chão e fixei com minúcia a bola cheia de reflexos brilhantes. No seu interior havia uma figurinha pequena e muito viva que só às vezes se tornava visível, alguém que eu conhecia dos livros de histórias ou dos jogos de computador, alguém que eu bem conhecia mas não reconhecia naquela forma e lugar. Vestia uma jaqueta azul bordada a fio de prata, usava um turbante vermelho na cabeça e calçava umas botas bicudas de pelúcia amarela.

A criaturinha que vislumbrei encantou-me pela sua pequenez e por alguma razão secreta que não sei explicar.

Olhei no fundo dos seus olhos e a minha imagem, primeiro longínqua e desfocada, depois com nitidez assombrosa recortou-se em tamanho real. Olhei no fundo dos seus olhos (ou dos meus olhos?)

e num caminhar sobre nuvens

num encantamento que me levava para além de mim própria

pairei no extremo de um universo

onde eu *era* completamente feliz

plena e liberta.

Aquele instante era um instante feito de vários instantes talvez separados por anos

instantes que se repetiam no Tempo.

Demorei algum tempo a voltar daquele caminhar sobre nuvens. Quando tornei a mim, respondi à saudação daquele que bem poderia ser um gnomo ou um fogo-fátuo.

— Olá! Sou Arabela.

— É verdadeiramente admirável que tenhas chegado aqui.

De súbito, pareceu-me estar perante alguém com quem já antes privara.

Em que circunstâncias menos conhecidas privara eu com aquele desconhecido?

Involuntariamente, a minha voz soltou-se e eu ouvi-me numa voz que não era a minha. Como se um disco me girasse na boca e falasse por mim, escutei os sons que me vibravam nos lábios:

— Também eu me admiro com tudo o que está a acontecer. O meu ciberlivro tinha um problema informático, ou então era um *hacker* que tornava tudo incrivelmente estranho. Entretanto, tantas coisas estranhas se passaram que sinto uma imensa confusão.

— És uma sonhadora, Arabela. Por isso te concedo uma compreensão acima da dos comuns mortais.

Aquela figurinha que se dizia inventora da *grande linguagem* concedia dons! A *mim* dava-me uma compreensão para além do comum.

— E que farei eu com essa grande compreensão?

— Alcançarás os segredos da arte de viver. O bafo doce das quimeras perdurará para sempre como um perfume na tua lembrança e esse perfume será a tua arma.

A tua arma invencível. Tudo gira em torno de vertigens... Sem fantasia, sem quimeras, a vida não é possível. Estas histórias, paisagens, cores, rasgarão o *real* e surgir-te-ão em vários instantes da vida, instantes em que voarás sobre nuvens...

— ... Isso parece-me complicado, para não dizer impossível.

— O género humano não sabe a arte de viver e desperdiça estupidamente o dom da vida. Os pássaros do céu, mais sábios, cantam os caminhos do mundo.

Baixei os olhos e pus-me a cismar no que acabara de ouvir. Pensei nas guerras, nos ataques ao ambiente, nos rios poluídos, na publicidade... O mundo estava inundado em avalanchas de publicidade, havia publicidade transmitida directamente da almofada para os sonhos e, até nos sonhos, o desejo de *ter* crescia de modo imparável deixando pouco espaço para a fantasia.

Neste matutar receei que Kai, um pequenote que cabia numa bola mais pequena do que um coco e se arrogava saber a ciência da vida, coisa essa que escapava aos próprios humanos, fosse algum publicitário desejoso de me impressionar com as suas reflexões.

Kai, como se adivinhando o que me ia no espírito, disse:

— Neste nosso Reino cultiva-se a arte, a ciência de viver. O fluido imaterial da fantasia com que aqui te soprarmos circulará no teu sangue para sempre. A capacidade de caminhar sobre nuvens perdurará em ti, desde que...

— ... desde que...

— ... te alimentes de fantasia. Jamais deverás deixar de alimentar-te de fantasia... O sonho deverá comandar a tua vida. Sempre! E agora vou indo. Os dias são curtos, há que encontrar modo de os fazer maiores.

Agarrei com força as minhas tranças e ouvi no ar uma risadinha cantante. E se Kai me cortasse as tranças para com elas laçar o sol e, assim, tornar a marcha do astro mais lenta e os dias maiores, conforme de uma vez eu lera numa história...

Kai, adivinhando-me os pensamentos, disse:

— Num lugar exótico do mundo, não aqui, um deus, de uma vez, fez isso. Aqui, Arabela, é o Reino do Sonho!

— O Reino do Sonho?

Kai soltou de novo uma risadinha e eu tive então a certeza de já antes, noutro lugar, ter ouvido aquelas risadinhas cantantes.

— As personagens das histórias, depois de tocarem o ponto de luz das suas vidas nas histórias, ficam aqui em representações intermináveis. Sempre que as convocares, elas surgir-te-ão. E não esqueças, Arabela, o sonho corrige os lapsos da vida...

Atordoada, olhei à volta. No bulir do vento, ouvia-se um refrão finíssimo, quase ciciado:

Entrar no Reino do Sonho será a tua glória e o teu mistério. A tua glória e o teu mistério.

TELENIPU

...O ar ficou cor de cinza e cobriu-se de névoa. Kai sentiu-se incapaz de continuar o seu poema, um poema escrito em Grande Língua que já ia em mais de 22000 versos. Servindo-se da pena brilhante com que escrevia, cortou um caminho em arco através do nevoeiro e procurou-me.

Disse-me assim:

— Telenipu, o deus da atmosfera, zangou-se com o mundo, este nosso mundo tão belo, e abalou.

— Por que se zangou com o vosso mundo tão belo?

— Ninguém sabe *porquê*.

Mas era tamanha a sua fúria que, na pressa de ir, calçou a bota esquerda no pé direito e a bota direita no pé esquerdo. Telenipu abalou aos tropeções pelos caminhos da floresta semeando ventos e tempestades...

Kai já tinha pedido a Neusa, deusa das curas e das magias, que aplacasse a fúria de Telenipu. Vi Neusa partir à pressa com caldeirões de bronze, imagino que para neles recolher a ira de Telenipu. Por ocasião de uma outra zanga de Telenipu, Neusa recitara fórmulas desconhecidas e assim abrira os sete ferrolhos das sete portas do inferno onde Telenipu se escondia.

Neusa recitou as suas fórmulas sábias e as fórmulas ecoaram com fragor pelas cercanias. A vingança de Telenipu foi terrível. Com forte ribombar de trovões e fluxos de relâmpagos, sacudiu as imponentes ruínas da antiga Biblioteca. Era na antiga Biblioteca que estavam guardados os tesouros mais valiosos do Reino do Sonho, mais de 100 000 tabuinhas com mitos e fórmulas mágicas, rores de disquetes com contos e poemas de tempos passados, sonhos sonhados e já esquecidos e outros ainda por sonhar.

Neusa consultou os oráculos e fez encantamentos mágicos para aplacar a ira de Telenipu. Em resposta, Telenipu desencadeou um tufão que arrancou árvores, murtas, roseiras, estevas, tojos, arrasou montanhas, outeiros e vales.

Kai enviou então a rainha dos seres voadores em busca de Telenipu. A *Águia Olho Vivo*, assim se chamava, depois de sobrevoar bosques e clareiras, descobriu uma gruta no meio de velhíssimas e gigantescas árvores, escondida por uma cerca de penhascos e penedios alcantilados.

A *Águia Olho Vivo* planou e viu que a gruta era guardada por possantes leões de pedra. Fez uma reverência aos leões, encaminhou-se para a porta em voo rasteiro e com um martelo de pedra ali abandonado deu duas pancadas fortes na laje.

Ninguém respondeu. A *Águia Olho Vivo* espreitou pelo buraco da fechadura — que era de pedra como tudo por ali em redor — e viu com o seu olho vivo o chapéu pontiagudo de Telenipu, a sua túnica curta e...

Nada mais viu.

Um vento tempestuoso açoitou os troncos das antiquíssimas árvores do bosque, que estalaram e rangeram doridamente. A *Águia Olho Vivo* começou a petrificar, lentamente, primeiro as asas, depois os olhos, por fim a quilha...

E assim se quedou num esquecimento de pedra.

Kai ordenou então à *Formiga Azul* que montasse o *Caracol de Corrida* e fosse procurar a *Águia Olho Vivo* pelas florestas.

A *Formiga Azul* saltou para a sela prateada do *Caracol de Corrida*, puxou os arreios de filigrama e sumiu-se entre as árvores do bosque.

E não voltou nem a *Águia Olho Vivo*, nem a *Formiga Azul*, nem o *Caracol de Corrida*.

— Ninguém vai onde quer que seja montado num caracol — alvitrei.

— Mas é um caracol de corrida, Arabela! Atinge velocidades espantosas... Nunca ouviste falar da Tartaruga que venceu Aquiles numa corrida?

Aquiles era o mais veloz dos corredores da Grécia Antiga!

Não ousei contrariar. Algures, fora-me dado observar a cena de uma tartaruga a disputar uma corrida com uma lebre e por todo o lado havia prodígios.

Um pequeno morcego de voz ofegante ofereceu-se para ir em busca dos desaparecidos e logo se afastou em grandes saltos cegos pelos ares tempestuosos. Um grifo gigantesco seguiu também, acompanhado por alguns cães voadores, um cavalo alado e um bando de cisnes de pena dourada. Abalaram numa confusão de vozes, gritos, piares, uivos, cacarejos. Todos estes bichos, e rores de outros seres voadores, abalaram pelos estonteantes labirintos da floresta.

— Devemos mandar a Abelhinha — sugeri eu.

Eu, a que descera aos subterrâneos de uma história e tinha por missão participar nela, traçar rumos, jogar o jogo dos enredos, sugeri. *A Abelhinha não tinha ainda his-*

tória e ansiava tomar parte naquela demanda. Agora é sobre ti, Abelhinha, que se jogam as expectativas, e é sobre mim, a que escreve sem plano de escrita, a que sonha e se abandona ao acaso e à aventura.

— Nada irá acontecer — observou uma cegonha que passava por perto. — Um ser tão insignificante, uma pequeníssima abelha...

Sem mais palavras ou murmurações, Kai aceitou a minha sugestão. Eu, que dera aquele palpite de improviso e sem medir consequências, pensei por instantes na rede de possíveis implicações. Agora que já fora ultrapassada pelo espantoso arranque produzido pelo meu palpite, pensei.

Por entre gesticulações, dei sugestões secretas à nova enviada, um plano cheio de *ses* e *senãos* ao sabor da minha imaginação. A Abelhinha ainda sem história mas prestes a ter uma, sorriu-me e fez-me um sinal que interpretei como sendo sinal de vitória. Os que ficavam, olharam-me envoltos naquela expressão sonhadora que todos manifestavam nos grandes momentos e eu senti o peso de traçar rumos, destinos.

A Abelhinha voou, e ao cabo de uma longa e árdua busca sempre guiada pelas flores de mais rescendentes aromas, encontrou Telenipu muito agitado numa clareira de lilases saboreando o sol da tarde.

E viu a *Águia Olho Vivo*

a *Formiga Azul*

o *Caracol de Corrida*

o *Cavalo Alado*

os cães voadores

o bando de cisnes de pena dourada

o grifo gigantesco

e rores de outros seres voadores
petrificados na orla da clareira de lilases.

A Abelhinha picou Telenipu nas mãos e nos pés, espalhou-lhe cera nos olhos e pólen perfumado no corpo. Telenipu enfureceu-se. Em consequência, registaram-se 1101 abalos sísmicos e o géiser vomitou lava. E todo o Reino do Sonho estremeceu com tamanho furor.

Então a Abelhinha perguntou-lhe:

— Por que estás tão irado?

Telenipu não respondeu com palavras, antes com um olhar fulminante. Aproveitando um belo raio de sol começou a desenhar sombras no chão com um pauzinho de louro.

O Sol brilhou com intensidade. Do solo sob a forma de sombras soltaram-se as mais caprichosas formas viventes: dragões alados, serpentes com mandíbulas assustadoras, réplicas de gigantes guerreiros possuídos pela ânsia de sangue, Hércules, Sansão, Ciclope e outros seres colossais já esquecidos. Sem razão à vista, todos os seres petrificados acordaram do seu sono de pedra e começaram a colaborar no jogo das sombras. As mais fantásticas sombras, sombras que emanavam de cada um e que antes ninguém vira, tomaram forma. Monstros do nevoeiro, monstros dos pântanos e dos charcos soltaram-se das sombras, do escuro, das trevas.

A forma de um gigantesco búfalo desenhou-se nas sombras. Os seus cascos e chifres mortais, os seus uivos e arremessos eram medonhos. Telenipu deixou escapar um lamento:

— Há três dias que não sonho...

Ah! O mal de Telenipu era funestíssimo.

Três dias sem um sonho, sequer um sonho pequenino!

Há três dias que um ser vivente não sonhava...

Como era possível? Que transe, que agonia...

Se continuasse sem sonhar por mais tempo morreria. E o seu fantasma, ávido de sonho, atormentaria para sempre o Reino do Sonho...

O Reino do Sonho corria perigo. A falta de sonhos causava males profundos e irremediáveis. Havia que fazê--lo sonhar, custasse o que custasse.

A Abelhinha abalou sofrida para o bosque e por lá colheu molhos de papoilas dormideiras. Entrançou-as numa bela rede, prendeu a rede entre duas árvores e desatou a contar uma das suas histórias com luz e Sol.

Era a história duma princesa, uma princesa bela como todas as princesas, uma princesa cheia de *porquês* que andava pelo mundo numa grande busca...

— Que busca? — perguntou Telenipu.

— Busca sentido, sentido para a vida — respondeu a Abelhinha misteriosamente.

Então Telenipu como se atingido por um toque mágico, gritou:

— O sentido da vida? Não estará *além*, no sonho?

Depois de soltar este grito, Telenipu deixou-se cair exausto sobre a rede das papoilas dormideiras.

E finalmente sonhou... Sonhou e salvou-se e o seu sonho salvou o Reino do Sonho.

A BELA MARIPOSA

De súbito, senti uma grande tristeza. Sobre mim pesava um céu imenso aparentemente pétreo e sufocante, sem lua ou estrelas, apenas com ténues resplendores. Quanto me era dado observar, encontrava-me numa planície vazia e infindável, talvez num deserto de pedra. Três questões ocupavam o meu espírito. Primeira: como fora eu chamada a participar naquela história e a ditar o seu desfecho? Segunda: como fora eu ali parar? Terceira: afinal que fazia eu ali, naquela realidade adormecida, e que haveria eu de fazer para dali sair?

Intrigada, olhei à minha volta. Os meus movimentos pareciam congelados, todos os meus movimentos, dos braços, dedos, cabeça, pés. Reparei que o suor, um suor de medo, me cobria o rosto e todo o corpo. Apesar de ser noite o calor era escaldante, eu transpirava mas curiosamente os meus movimentos estavam congelados. Uma nuvem azulada com reflexos de prata pendeu sobre mim e envolveu-me por todos os lados, como uma imensa teia de aranha de fios finíssimos. A teia alastrou em meu redor, emitindo uma luz fria e crepuscular que me enredava os pensamentos. Levantei-me de um salto.

De súbito os meus movimentos tornaram-se extremamente ágeis, o meu corpo imponderável e imaterial. Eu sentia que podia ir onde quisesse, galgar o fio do horizonte, passar o deserto de pedra, a planície vazia e infindável…

Suspensa nos fios da teia que me envolvia, soltei-me e deixei-me ir. As imagens sucediam-se a uma velocidade espantosa, eu seguia o seu rasto mas o rasto desaparecia de repente e, por mais que me esforçasse, não conseguia descobri-lo. Na minha memória ficavam gravadas algumas dessas imagens, mas apenas algumas.

Vi sereias em frasquinhos de formol, homenzinhos dissecados e ainda assim possuindo um magnetismo invulgar, múmias montadas em vassouras, anjos equilibrados numa só pata na ponta de um alfinete e todo um insólito mundo de seres rastejantes e voadores, do reino das águas, dos mitos e das fábulas, medusas, ninfas, musas, seres rastejantes e voadores, do reino da fantasia e da ilusão...

Castigliana, uma bruxa encantadora, colhia plantas medicinais e diabólicas. A feiticeira Eleanora recolhia estranhos seres da floresta numa rede tecida de raios de luar. O mágico Andreu media a metro gotículas de orvalho e enchia tubinhos de névoa. Um mafarrico coleccionava antigos instrumentos de tortura do tempo da Inquisição. Um figurão tentava instalar no espaço um sol artificial preso a uma nave carregada de lixos, um sol que, a cada tentativa de entrar em órbita, se incendiava e derretia numa chuva de luzinhas multicores...

Contemplava eu com pasmo o que me rodeava, uma corte de criaturas diabólicas, quando uma bela mariposa me poisou na mão. Sacudi a mão, ela esvoaçou por entre uma chuva de luzes multicores e depois roçou-me ao de leve a orelha. A borboleta segredou-me qualquer coisa que me fez sorrir, qualquer coisa como:

eu estou próxima de ti, mas tu de mim afastada...

Ela repetiu uma e outra vez alguns dizeres, dizeres que sugeriam que eu me encontrava perdida no nevoeiro e que me seria custoso *encontrar o caminho*.

— Eu vim em teu auxílio mas a verdade é que também não sei o caminho. O caminho não se ensina. Vai--se fazendo...

Disse a borboleta e novo tropel de criaturas fantasmagóricas acorreu, desenhando-se e apagando-se instantaneamente nos céus.

Era verdade: eu estava perdida. Como poderia eu adivinhar que ia lançar-me numa aventura estranha e talvez perigosa? Mas mesmo que tivesse adivinhado, teria estado ao meu alcance fechar o ciberlivro e resistir ao seu chamamento, ao seu extraordinário apelo? Ainda estaria eu a ler e sob o encantamento das palavras? Ou sob o encantamento das esfinges?

Perguntei-me se *tudo aquilo* não seria ilusão e, logo depois desta interrogação, outra mais inquietante me tomou. Seria que, para além dessa ilusão, algo mais existiria?

A borboleta tagarelava e o que contava soava-me agradavelmente, distraindo-me das minhas inquietações. Ali onde estávamos, naquele lugar ideal, sem fronteiras, fora do tempo, estavam todos os sonhos das pessoas, os já sonhados e os ainda por sonhar, as figuras das histórias, dos mitos, das lendas, das fábulas. Todas as criaturas do Sonho e da Fantasia habitavam aquele Reino. Ali existiam todos os seres da *magia*, todos. Ela era a borboleta Mariposa, uma borboleta pairante nascida da imaginação de uma menina durante a leitura de um poema.

Como se chegava àquele lugar? — perguntei-me.

Como se chegava, pergunto-me.

— Alcança-se *este lugar* depois de se atravessar uma fronteira invisível, como a que há entre o dia e a noite. Não te digo como atravessar, tens de descobrir por ti…

Eu passara uma espécie de garganta suspensa entre um mundo e outro mundo, um real outro fantástico, se os nomes importavam ou diziam alguma coisa. Essa fronteira era acessível a qualquer um com imaginação e fantasia. Mas apenas a esses, aos que não houvessem perdido a infância.

… Aos que não houvessem perdido a infância.

Eu passara a misteriosa fronteira, tinha a vaga lembrança de um canto sedutor que me embalara, um belo canto, uma floresta…. e nada mais.

Como nada mais?

Antes houvera uma nave, uma bruma, antes ainda um livro…

UM LIVRO!

— Quem conseguir passar a tal fronteira — continuava a Mariposa indiferente às minhas cismas — guardará essa recordação para a vida inteira e, mais importante do que tudo, receberá dons excepcionais.

Dons excepcionais?!

— O Reino do Sonho torna as pessoas especiais. Aqueles que lograrem o Reino do Sonho… guardarão os rostos de antes e depois. E *jamais perdem a infância…*

Quis perguntar à Mariposa que dons excepcionais receberia eu no Reino do Sonho, se para isso teria que formular alguns desejos e se havia limite para o número de desejos a formular. Mas ela desapareceu saltitando nas nuvens e deixando-me numa grande ansiedade.

Por ali estar, eu transformara-me em alguém *especial*? E que significaria isso?

Fiquei por muito tempo a contemplar a sua imagem ausente. Na aragem julguei escutar o estribilho: *o sonho é uma arma...* Procurei a Mariposa por muito tempo até que acabei por suspender a busca.

Outro rumo se esboçava agora na minha frente. Tinha que resgatar Spiff do Reino das Não-Coisas. Era urgente. Vagamente atordoada, deixei-me seguir.

O GOCHI

Sozinha caminhei por uma rua de fantoches, malaba-
ristas, mimos, acrobatas de circo, homens-estátua, pan-
tomineiros, funâmbulos. Gaivotas voavam nas alturas
soltando gritos estonteantes, gafanhotos gigantes preci-
pitavam-se nos ares sobre a minha cabeça entre sombras
de morcegos descomunais. Encontrava-me agora numa
câmara perfeitamente insonora, onde apenas escutava o
baque-baque do meu coração. Porém, escutando esses
baques não os ouvia
　　porque tudo ali era inaudível
　　ou eu atingira a capacidade de escutar e não ouvir.
　　Kai sumira-se, Spiff também
　　tinham ido para o Reino das Não-Coisas
　　e eu vagueava num vazio sem qualquer ruído, sem
aragem, sem brisa, num vazio de som absolutamente
total.
　　Que nome teria aquele lugar?
　　Aquele lugar não podia dizer-se
　　vazio, estava sempre cheio
　　e quanto mais dele se falava, menos se compreendia.
　　Um ciberbrinquedo de pelúcia, tão pequeno que
caberia na palma da mão mais minúscula, acercou-se em
silêncio. Toquei-lhe levemente as grandes orelhas,
tocando-o não o senti, mas o pequeno Tamagochi acendeu o nariz e animou-se.

Logo de seguida, retraiu-se e entristeceu.

Também eu me animei, me retraí e entristeci segundo os mesmos andamentos do ciberbrinquedo.

Aquele Gochi era nada mais nada menos que um exemplar da informática afectiva. Era um ciberbrinquedo *sensível*, sensível à custa de variados sensores. Graças a esses sensores, o prodigiozinho informático era capaz de exibir reacções de alegria e tristeza. Simulava emoções e decerto revelar-se-ia capaz de aprender pequenos truques que eu lhe ensinasse, comportando-se como um cão ou um gato, com a diferença de não morder ou arranhar.

— Sabes onde estás, Arabela? — perguntou o Gochi com voz e luz, num pulsar sem som.

Respondi com uma pergunta, fazendo-lhe vibrar os sensores de ruído das grandes orelhas.

— Que lugar é este? Parece tão profundo que se eu caminhar acabarei por encontrar a raiz do mundo.

O Gochi nada respondeu, mas julguei escutar um levíssimo rumor:

Se disseres o meu nome, deixarei de existir...
Se disseres o meu nome, deixarei de existir...

Um murmúrio uma baforada de brisa marinha, suave e plena de maresia, ecoaram em surdina. Uma brisa marinha como se vinda do coração do mar soprava ao compasso dos baques do meu coração. Tudo se passava de modo perfeitamente inaudível, numa vibração insonora.

Subitamente, o pequeno prodígio de tecnologia soltou uma afirmação audível e surpreendente:

— Kai fez uma aposta louca: criar uma biblioteca de um só livro. Um único livro contendo todos os livros,

um livro regravável, escrito com tinta electrónica, acessível a todos, com um cartão de memória na lombada...
E tu, Arabela, tu fazes parte desse livro. És um ser virtual, um ser que apenas existe em ambiente virtual...
É esta a tua realidade.

Estremeci violentamente. Os meus movimentos podiam ser de pedra, os meus olhos uma pálpebra mecânica ou qualquer coisa meramente virtual. A ideia de pertencer a um hiperespaço de onze dimensões fora por mim desenvolvida numa das aulas de criatividade com que me atafulhavam o horário na escola. Pertenceria eu à história que criara? Existiria eu para além da fantasia, do ciberlivro, do sonho, eu *seria* nalgum lugar não-virtual? Antes o Sexta-Feira-Treze havia-me dito que eu pertencia a um grande maquinismo, agora o Gochi dizia que eu era um ser virtual. Quereriam apenas confundir-me? Ou desafiar-me a curiosidade?

A minha curiosidade não desejava ser satisfeita. Não estando satisfeita, a minha aprendizagem podia renovar-se.

A MARCA DO SONHO

Kai interrompeu abruptamente um sonho em que sonhava um dos seus mais belos sonhos. O sonho de encontrar palavras certas para descrever os sonhos mais profundos das crianças. E apareceu-me estremunhado.

— Kai: o que pretendeste mostrar-me com a história de Telenipu?

— É simples, Arabela. No fundo, foste tu que decidiste. Quis apenas confrontar-te com a comédia humana. Perante ela, tu poderás sempre fazer o que bem quiseres.

Depois de uma breve pausa prosseguiu:

— Arabela, tu compreendes os homens? Compreendes esses vendidos a uma felicidade que se resume a *ter*? Compreendes essas criaturas desligadas dos outros e até de si próprias? Arabela, os homens da época em que vives são uma mistura de identidades incutidas pela publicidade e pela televisão...

Não sei se Kai se referiria aos políticos, aos traficantes de droga ou de armas, aos piratas informáticos, ou a quaisquer outros. Mesmo capazes de tantas malfeitorias, de fazer a guerra e rores de atrocidades, os homens não eram merecedores de tanta descrença de Kai. Para tal amargor, deveria haver alguma razão muito forte...

— Que tens tu, afinal, contra os humanos?

— Os humanos são uma ameaça ao Reino do Sonho… Temo que acabem por *aniquilar* este nosso Reino. Sem Sonho, Arabela, que serão os homens? E o mundo? Nada.

— *Nada?* Nada como, Kai? O mundo nunca deixou de existir. E nunca andou para trás.

— *Nada* é nada, Arabela. *Nada* é o que *não é*.

— A ideia de *nada* apavora-me. É como, sei lá, sentir-me cega… Vou procurar o capitão Spiff e a aeronave. Onde está o capitão Spiff?

— O capitão Spiff infelizmente não está no Reino do Sonho, nesse belo reino onde estão todos os felizes independentes do mundo. Queres ir buscá-lo, experimentar de novo o Reino-do-não-Sonho? Já lá estiveste no Reino dos Espectros. Na Terra-de-Ninguém…

Senti um imenso negrume apoderar-se-me dos olhos, e não só os meus olhos estavam na escuridão, também a minha voz e o meu coração estavam negros. De tal modo que pensei ser eu própria feita de escuridão, uma escuridão tenebrosa onde os sonhos eram completamente inexistentes.

Eu entrara num pôr de Sol crepuscular, um pôr de Sol em que o tempo parecia haver parado, um tempo infinito, sem aragem, sem uma única brisa ou um pipilar de pássaro. A pouco e pouco as recordações do meu mundo esfumavam-se, eu deixava de ter olhos, nariz, cabeça e deixava de perceber a que mundo pertencia, ou se existiria mesmo de verdade. E nesse instante compreendi o mal de Telenipu, o fastio de sonhos matava.

— *Ser!* Sabes o que é *ser?* — perguntou Kai. (No

Reino do Sonho faziam-se perguntas desconcertantes.)

Engoli em seco sem saber que resposta dar. *Ser* é o que é, pensei vagamente; eu *era*, ria, brincava, tinha uma família, amigos, imaginava, sonhava. E *isso* era bom e enchia-me de alegria.

— No teu mundo, Arabela, uns *são* o que *têm*, outros têm apenas o que *são*. Os humanos cuidam muito de *ter e nisso* consomem o tempo e a si mesmos se consomem. Esvoaçam de um lado para o outro na ânsia de ter, ora isto ora aquilo, um carro de corrida, uma casa de filme, isto atrás de aquilo e, no fim, aborrecem-se de morte, porque nunca alcançam o que querem. E assim vão cavando cegamente a sua infelicidade até atingirem a vacuidade suprema. *Ser* dá possibilidades infinitas.

Sorri tristemente naquela estranha sensação de não ter olhos, boca, cabeça, nariz. De não saber se sabia o que era *ser*. Uma névoa fina caía e ouvia-se no ar um murmúrio de águas batidas pelo vento.

— Se não se libertarem das teias infernais em que se movem, *eles* transformar-se-ão em palhaços ridículos — bradou Kai com secura. — Para agirem com grandeza os homens têm que sonhar... Será que esqueceram isso?

Pensei no que seria se deixasse de haver histórias, fábulas, sonhos. Seria como não ter olhos, boca, cabeça, nariz... Seria terrível, verdadeiramente inimaginável...

— Kai, que *posso* eu fazer? — perguntei suplicante.
— Que culpa tenho eu de *todas* as malfeitorias dos humanos? Quando cheguei ao mundo, já encontrei tudo como está agora... Será que se pode mudar o mundo?

— Ninguém muda o mundo. O mundo não se deixa mudar por ninguém. Só o sonho muda o mundo. Concedo-te a marca do sonho... Por toda a tua garra e tenacidade provaste merecê-la!

Kai desapareceu sem nada mais acrescentar. Procurei a marca do sonho e não a vi. Uma chama sem ser labareda por dentro elevou-se do chão e rolou até mim. Procurei Kai nessa fosforescência e não o vi, toquei esse fogo pequenino e não o senti.

Forma sem forma, imagem sem imagem
Kai fugidio e inatingível.

Uma neblina matinal elevou-se do lago e a fosforescência pirilampejou e galgou além céus.

Olhei ao largo com olhos que já me não pareciam umas pálpebras mecânicas. Sobre os montes distantes pairavam farrapos de nevoeiro onde ziguezagueavam morcegos. Das árvores de folhagem cor de púrpura pendiam raízes em forma de tentáculos de polvos gigantescos. Mais longe, a folhagem parecia haver perdido a cor e, mais longe ainda, tornava-se transparente, nebulosa, irreal.

Tartarugas armadas de elmo, gaios enfeitados de penas de pavão, enormes silfos, elfos, duendes, génios cavalgando formigas e joaninhas, grilos-flauta que tocavam músicas de cinco notas, apareceram vindos de todos os lados do Reino do Sonho. Todos procuravam Kai, todos queriam pedir-lhe que lhes inventasse uma história. Uma história a cada um. A cada um sua história, muitas e belas histórias…

A ESTRELA

Uma estrela cadente que errava pelo escuro da noite acendeu uma luz ténue. E bruxuleou... A estrela sorriu-me! Como sempre sorria ao Principezinho e a todas as crianças sonhadoras.

A estrela piscou-me os olhinhos e, lá do alto, acenou--me:

— Arabela! — sussurrou a Estrela. — Passarás a pouco e pouco do escuro ao claro.

— Ah! É extraordinário!

— O que é extraordinário, Arabela?

— Tu falas... No livro de Kai não vem que as estrelas falam.

— Talvez isso não tenha grande importância.

— Ter voz é muito importante. Sem voz não poderias satisfazer a minha curiosidade.

— Arabela: é muito difícil satisfazer a curiosidade das crianças.

— Estrelinha: vês o capitão Spiff? Como é o mundo visto do espaço?

— Assim visto, o mundo parece torto... Os homens são complicados.

— E tontos. Todos os dias destroem uma porção do mundo. E do Reino do Sonho...

— Arabela, é preciso salvar o Reino do Sonho. Tu alcançaste o Reino do Sonho e nele atingiste a Porta de Toda a Maravilha. Deves preservar em ti uma tal experiência. Agora dorme. Passaste a noite a sonhar.

— Se dormir, perco a tua companhia.

— Enganas-te. Eu posso entrar nos sonhos das crianças... Entrarei para te lembrar que deves abraçar o simples e o natural e amar a sabedoria.

— Imagina que o Gochi quis convencer-me que eu era um ser virtual,

uma personagem do livro de Kai... e que nesse mundo virtual eu atingiria facilmente todas as quimeras.

— Há muitas palavras enganosas... Nunca cedas à quimera de encontrar tesouros fáceis. Esses tesouros, em vez de te saciarem, deixar-te-ão esvaziada.

— Esta viagem ao Reino do Sonho é tão estranha...

— Ela sugerir-te-á a vida, pelas dificuldades e momentos de desespero vencidos ao longo do percurso, pelos pontos inalcançáveis que vislumbraste, pela multiplicidade de figuras que conheceste cheias de mistérios e diferentes formas de ver... Tu tens a marca do sonho! Nesta viagem, foste fadada com a marca do sonho, és uma felizarda. Jamais esqueças que os homens para agirem com grandeza têm que sonhar muito.

— E Spiff?

— Está no Reino-das-Não-Coisas. Mas, agora que tens a marca do sonho, podes resgatá-lo sem dificuldade e voltar ao real.

PRONTA PARA A REALIDADE

Arabela fechou o livro e sorriu. Tinha muitas perguntas para as quais não conhecia resposta.

Quando é que tudo tinha começado, o mar, as flores, as nuvens, os pássaros e tudo o mais que havia?

Quem fizera as estrelas?

Quem movia a Lua?

Quem dava luz ao Sol?

O que era *ser*?

Ao olhar as últimas estrelas, interrogou-se sobre aquela matéria escura que pendia sobre a sua cabecinha. Como era belo aquele manto suspenso sobre a cidade, os montes e o casario.

Que fios invisíveis seguravam aqueles pontinhos de luz que recamavam os céus?

Por que não chocavam as estrelas com a Lua, a Lua com a Terra, ou o Sol com a Estrela Polar? Por que não desalvoravam os astros pelos céus, nem se atropelavam em confusos corrupios?

Aquelas luzinhas que cintilavam entre as nuvens eram os astros.

Quem fizera os astros?

Quem movia a Lua?

Quem dera luz ao Sol?

Estava pronta para desafiar a realidade. Para fazer mil perguntas, mil buscas.

Havia uma teoria que dizia que o Universo teria começado no *Big Bang* cerca de 15 mil milhões de anos atrás. Esta teoria era aceite pela maioria dos cientistas.

O Big Bang fora uma grande explosão. *Tudo* começara com a *Grande Explosão*.

E antes da Grande Explosão o que é que havia?

Antes de tudo, o Tempo e o Espaço estavam condensados num ponto. Esse ponto era uma espécie de ovo. Era o ovo cósmico. Repentinamente, o ovo explodiu dando origem à matéria conhecida.

E quem parou essa explosão?

Quem travou essa expansão do Universo?

Ou expandir-se-ia o Universo para sempre?

E que lugar ocupava ela em tamanha imensidão?

Ela era alguém com muitas responsabilidades, ela alcançara o Reino do Sonho e trazia consigo a marca do sonho... Quem tinha a marca do sonho estava pronto para desafiar a realidade. Pronto como mais ninguém.

Quem tinha a marca do sonho jamais desistia e jamais esquecia que os homens para agirem com grandeza têm que sonhar muito. O sonho dava poderes raros...

Estrela do Mar

1. **Sexta-Feira ou a Vida Selvagem,** Michel Tournier
2. **Olá! Está aí alguém?,** Jostein Gaarder
3. **O Livro de Alice,** Alice Sturiale
4. **Um Lugar Mágico,** Susanna Tamaro
5. **Senhor Deus, Esta É a Ana,** Fynn
6. **O Cavaleiro Lua Cheia,** Susanna Tamaro
7. **Uma Mão Cheia de Nada Outra de Coisa Nenhuma,** Irene Lisboa
8. **Tobias e o Anjo,** Susanna Tamaro
9. **Harry Potter e a Pedra Filosofal,** J. K. Rowling
10. **O Palácio do Príncipe Sapo,** Jostein Gaarder
11. **Harry Potter e a Câmara dos Segredos,** J. K. Rowling
12. **O Rapaz do Rio,** Tim Bowler
13. **Harry Potter e o Prisioneiro de Azkaban,** J. K. Rowling
14. **O Segredo do Senhor Ninguém,** David Almond
15. **No Reino do Sonho,** Natália Bebiano